15

衆人目光焦點的小愛登場！
妮妮前所未有的大危機！

繼續親切

17

19

21

眾人目光焦點的小愛登場！
妮妮前所未有的大危機！

行事曆風波

磁性貼

我貼

動感幼稚園
本年度預定行事曆

這要貼在比較顯眼的地方才行！

動感幼稚園
本年度預定行事曆

今天早上得閒沒事幹，中午吃過媽媽偷工減料所做下的午餐後1點到正男家，點，在左騰右騰，視之後回家看電視。

嗯……今天又是忙碌的一天。

我也來寫一張行事曆貼上去吧！

那個河馬磁性貼好漂亮哦！

哦

這樣就行了！

先去睡個午覺吧！

電櫃

媽媽的用透明膠紙就行了。

河馬磁性貼，拿來貼我的，

我的行事曆

爬上

行事曆

25

27

28

眾人目光焦點的小愛登場！
妮妮前所未有的大危機！

修剪樹木

嗚哇！

掀開

摔

鼾—

鼾—

你又肥了是嗎？

不是要你看我！是看庭院！

你看！

抱歉！算了吧！

幹嘛呀～星期日早上就讓我好好睡嘛！

就是你這種個性，帶給小新這麼不好的影響。

其實再等些時日也無所謂不是嗎？

是嗎？

剪不成？想要我去修

庭園的樹木愈長愈高了，不趕快修一修怎麼行呢？

29

31

33

34

35

38

40

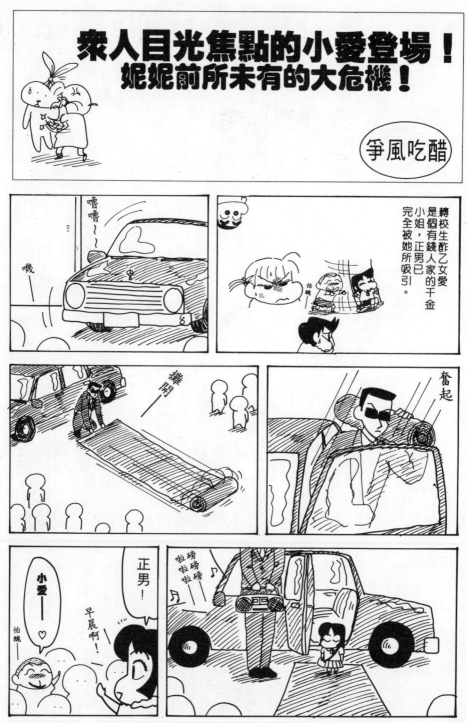

※日人中「注意」與「親吻」發音相近。

向日葵小班

43

45

46

53

54

59

69

75

79

80

82

83

鄰居的性感少婦
吸引爸爸的注意篇

89

97

98

101

103

106

107

113

2000 年 8 月 20 日　　第 1 刷
双葉社授權香港中文版

原名：クレヨンしんちゃん

第 25 集　　作者：臼井儀人　　譯者：鳥山乱

出版：東立出版集團有限公司

地址：香港北角渣華道321號柯達大廈第二期1901室

TEL：2386 2312　　FAX：2361 8806

書報攤經銷：吳興記書報社　　　TEL：2759 3808

漫畫店經銷：一代匯集　　　　　TEL：2782 0526

承印：美雅印刷製本有限公司　　TEL：2342 0109

本書如有缺頁、倒裝、破損之處，請寄回更換

定價：HK$30